chibi
CARLSEN MANGA!
D0727444

KRRCHZ...
AUF GLEIS DREI FÄHRT EIN: DER INTERREGIO ÜBER SAUMAGEN NACH HINTER-KAFFEN!
WSSSHEE

Start!

Bude
HALLO! 'NE KLEINE POMMES, BITTE!
'NE KLEINE?! BIST DU AUF DIÄT?
EIN SCHÖNER TAG! HEUT GEHT NICHTS SCHIEF...
... GANZ SICHER!

MUNCH
NA, DICKERCHEN?
HM?
WEN HABEN WIR DENN DA?! DIE FETT-BACKE JACO ...
WEISST DU NICHT, WIE UN-GESUND FRITTEN SIND?!
ÄH... DOCH... ÄH...
... WILLST DU AUCH?
GABSCH!
KLAR, GIB HER!
ÄH... SCHMECKT GUT, ODER?
Mumpf
OH NEIN!
NEIN! DIE SCHMECKEN SCHEISSE!!
ICH BIN UN-TRÖSTLICH!

HEY, HAROLD! KOMM DOCH MAL HER, ES GIBT EIN PROBLEM...
OH JE... JETZT IST ES AUS MIT MIR...
WAS GIBT ES, JOSH?!
!!
WO IST DAS PROBLEM?!
HAROLD, LIEBER FREUND, ICH FÜHL MICH GAR NICHT GUT...
... UND DAS NUR, WEIL ICH DIE FRITTEN VON JOSH ESSEN MUSSTE...
SOSO, KLEINER! DU WOLLTEST ALSO MEINEN BESTEN FREUND VERGIFTEN, WAS?!

HALT! IHR ELENDEN HALUNKEN!
IHR HALBSTARKEN PROLETEN WERDET ES BEREUEN, EUCH AN EINEM SCHWÄCHEREN ZU VERGREIFEN!
ScienceBoy
IM NAMEN DER NATURWISSENSCHAFTEN BESTRAFE ICH EUCH FÜR EUER TUN!
TADAAA
AU AU AU ... MEINE NASE!
TS TS TS
SCHNIPP!

ÄH... EHRLICH GESAGT BIN ICH SCHLECHT IN DER SCHULE...
4-
DABEI SIEHST DU AUS WIE EIN MUSTERSCHÜLER...
DANKE FÜR DEINEN EINSATZ, DIDI! BIST 'N FEINER KERL!
WIR STREBER MÜSSEN DOCH ZUSAMMENHALTEN...
DING DONG!
IHR KRIEGT AUCH EIN HOCHZEITSGESCHENK, PASST AUF...!
93
92
OCH, SCHAU DIR DIE BEIDEN AN, WIE SÜSS...
SÜSS ...
DAS SIEHT MAN DIR NUN WIEDER AN...!
WUSCH
UAAAH! RENN UM DEIN LEBEN!
EHRLICH GESAGT BIN ICH SCHLECHT IM RENNEN...!

PUH...! GESCHAFFT!
WO SIND WIR?
CH-TSCH!!
GOTT SEI DANK!
IN MEINEM GEHEIMVERSTECK! HIER KOMM ICH IMMER HER, WENN ES PROBLEME GIBT!
HMM... SCHÖN HIER!

DIESER BRUNNEN...
DAS IST BESTIMMT NUR EINE VOGELTRÄNKE.
LASS DOCH!
DAS KOMMT MIR BEKANNT VOR...
QUATSCH!
NUR ICH KENN DIESEN ORT!
BIST DU ETWA EINER VON DEN GEEKS, DIE DEN GANZEN TAG DIESE JAPANISCHEN COMICS LESEN?
BLÄTTER
GENAU DIESER BRUNNEN KOMMT IN MEINEM LIEBLINGSMANGA VOR!
HIER AUF SEITE 11...
TATSÄCHLICH! GENAU DER BRUNNEN...!
HÜPF!
HIER WOHNEN DIE WUNDERSCHÖNEN, KNAPP BEKLEIDETEN FEEN!
HUMPF!
DA! SCHAU ES DIR AN!
MANGA BERUHEN OFT AUF WAHREN GESCHICHTEN. VIELLEICHT GEHT MEIN TRAUM NUN ENDLICH IN ERFÜLLUNG...
DU SPINNST! ALS OB HIER ECHTE FEEN WOHNEN WÜRDEN ...

BHABEB BHABABEB...
GLITZER
...BHUBEL HUBHUBEL...
... DER RUF DER FEEN-KÖNIGIN ...
AHA! HIER STEHT'S...
HEE! MEINE BRILLE...
Funkel!
Blitz!
OH! SIE IST 1000MAL SCHÖNER UND KNAPPER BEKLEIDET ALS IN MEINEN KÜHNSTEN TRÄUMEN...!
ICH WILL AUCH WAS SEHEN... MEINE BRILLE!

ÄH... EHRLICH GESAGT BIN ICH SCHLECHT IN DER SCHULE...
4-
Versetzungs-Gefährdet
DABEI SIEHST DU AUS WIE EIN MUSTER-SCHÜLER...
Flopp
HÄ? ICH DACHTE, DIE KÖNIGIN RUFT. ABER HIER SIND NUR ZWEI STRE-BER...
ANDERER-SEITS... WIR SIND IM BESITZ EINES MAGISCHEN WESENS, DAS ERÖFFNET WUN-DERBARE MÖGLICH-KEITEN...
ABER... DAS WIDER-SPRICHT SÄMT-LICHEN WISSEN-SCHAFTLICHEN THEORIEN... ICH WERDE VERRÜCKT...
UUH... MUNDGERUCH...
ÜBERLEG DOCH MAL! WIR WÜNSCHEN UNS REICHTUM, SCHÖNHEIT UND MACHT! ERKENNST DU DAS POTENTIAL UNSERER ENTDECKUNG?!
ENT-SCHULDIGE IHN!
ABER... ICH KANN KEINE WÜNSCHE ERFÜLLEN...
HARHAR! MEIN ERSTER WUNSCH WIRD ALL DIEJENIGEN STRAFEN, DIE MICH IMMER GEQUÄLT HABEN.
DIE RACHE IST MEIN!
ER IST HALT WISSEN-SCHAFTLER...

ICH BIN ACTIA...
... DIE MAGISCHE FEE ...
... DER HIMMLISCHEN DÜFTE!
ABER ICH DACHTE IMMER, FEEN HABEN MAGISCHE FÄHIGKEITEN...?!
HABE ICH JA AUCH!
MEINE ACHSELN DUFTEN NACH ERDBEEREN ...
... MEIN BUSEN NACH VEILCHEN ...
... MEINE LIPPEN NACH MARGERITEN...
... UND MEIN PO NACH ROSEN!
WU-WU-WUNDERVOLL ...!
10+
WAAAS?! DAS SOLLEN MAGISCHE FÄHIGKEITEN SEIN?! WIE SOLLEN WIR UNS DENN DAMIT AN JOSH UND HAROLD RÄCHEN?!

SEI LIEBER ETWAS FREUNDLICHER, SONST HAT ES SICH GLEICH AUSGEDUFTET..!
SELBST WENN ICH ES KÖNNTE... DIR WÜRDE ICH KEINEN WUNSCH ERFÜLLEN!
IST DAS, WAS IN DIESEM MANGA ÜBER EUCH STEHT, DENN WIRKLICH ALLES WAHR?
DA STEHT WAS ÜBER UNS DRIN?! ZEIG HER!
IHR MENSCHEN SEID SO GRAUSAM! JETZT, DA UNSER GEHEIMNIS BEKANNT IST, WERDEN WIR FEEN BALD IN KÄFIGEN LANDEN...
... WIRD UNSERE KÖNIGIN VON EINEM VERRÜCKTEN COMIC-ZEICHNER GEZWUNGEN, ALLES ZU ERZÄHLEN!
He He He He
HILFE! HILFE! HILFE!
AU BACKE! HIER WERDEN SOGAR GEHEIMSTE FEEN-RITUALE BESCHRIEBEN. WAHRSCHEINLICH...
SCHON WIEDER MEINE BRILLE! KAUFT EUCH DOCH SELBST EINE!
BITTE HELFT MIR, SIE AUS DEN FETTIGEN KLAUEN DIESES MONSTERS ZU BEFREIEN!
PAH! NUR, WENN ICH DREI WÜNSCHE FREI HABE...
AUF IN DEN KAMPF!

KOMM! DAS SCHAFFEN WIR AUCH ALLEINE!
JA, DER KERL IST NICHT NORMAL...
HÄ? WIE JETZT?!
WENN WIR SIE GERETTET HABEN, WIRST DU BESTIMMT FÜRSTLICH BELOHNT! DIE KÖNIGIN INCA HAT UNGLAUBLICHE FÄHIGKEITEN.
Keuch!
UI! VIELLEICHT SPENDIERT SIE JA SOGAR 'NE GROSSE POMMES?!
HE! ICH BIN DOCH KEIN SAMARITER, DER DAHER-GESCHWEBTEN FEEN HILFT...
HEE! WAR DOCH NUR SPASS! LOS! WIR GEHEN DIE BELOHNUNG...ÄH... DIE KÖNIGIN RETTEN!
LANG LEBE DIE KÖNIGIN!!
NA GUT,...

JUHUU! AUF GEHT'S!
AUF ZUR BELOHNUNG!
WIE LIEB VON EUCH!
ACH... MIST!
AU JA! EIN FREMDES BUNDESLAND! AUF NACH HINTERKAFFEN!
WIE SPANNEND! DIE HABEN 'NE VÖLLIG ANDERE KULTUR DORT...
MIR FÄLLT EIN, WIE DUMM IHR SEID. WENN WIR DEN MANGAZEICHNER FINDEN WOLLEN, MÜSSEN WIR DOCH IN SEIN LAND REISEN...
JAPAN
... DAS WIRD ZU TEUER!

BIST DU BEKLOPPT?! GERADE DU ALS MANGA-GEEK SOLLTEST WISSEN, DASS DIESE COMICS AUS JAPAN KOMMEN! WIESO IST SONST DIE LESE-RICHTUNG VÖLLIG VERKEHRT HERUM?!
UUH... MEINE FRISUR...
EIGENTLICH KOMMEN MANGA AUCH AUS JAPAN. ABER DIESER HIER STAMMT VON EI-NEM DEUTSCHEN KÜNSTLER.
ATME ERST MAL TIEF DURCH!
zitter
zitter
DAS HILFT.

GEFÄHRLICHE SCHLÄGER, MANGA LESENDE FREAKS, DUFTENDE FEEN, VERSKLAVTE KÖNIGINNEN. UND JETZT EIN JAPANI-SCHER COMIC, DER AUS DEUTSCHLAND KOMMT... ICH WERD WAHNSINNIG...!
ICH ALS FAN HABE LÄNGST HERAUSGEFUNDEN, DASS DER ZEICHNER IN HINTERKAFFEN WOHNT.
ALLES KLAR?!

ABER, ABER! WER WIRD DENN GLEICH VERZWEIFELN?! ES GEHEN NUN MAL NICHT ALLE WÜNSCHE IN ERFÜLLUNG... OH, VERZEIHUNG...
IN EINER SO ABSURDEN WELT HALTE ICH ES NICHT MEHR AUS...!
DENK DOCH AN WAS SCHÖNES, Z.B. AN REICHTUM, SCHÖNHEIT UND MACHT... OH... ÄH...
DA BIN ICH JA AN ZWEI VOLLSPACKEN GERATEN...
UND WIE KOMMEN WIR NACH HINTERKAFFEN?

KRRCHZ...
AUF GLEIS DREI
FÄHRT EIN:
DER INTERREGIO
ÜBER SAUMAGEN
NACH HINTER-
KAFFEN!
WSSSHIEEE
HOFFENTLICH
LOHNT SICH DAS
GELD FÜR DAS
BAHNTICKET...
SHSCHT!
EINE BAHNFAHRT,
DIE IST LUSTIG,
EINE BAHNFAHRT,
DIE IST SCHÖN
...
OH
MANN...

ENDLICH EIN BISSCHEN RUHE AN DIESEM VERRÜCKTEN TAG...
MMMH... JETZT EIN HAMBURGER...
HMM...HABEN WIR AUCH NICHTS VERGESSEN?
?!
DA KANNST DU JETZT IN DEN NÄCHSTEN VIER STUNDEN DRÜBER NACHDENKEN...
ICH HÄTTE MICH NIE IN DIESEN KOFFER STECKEN LASSEN SOLLEN! JETZT HABEN MICH DIESE VOLLDEPPEN VERGESSEN! HILFEEE!!
HILFEEEE!!

IMMER MIT DER RUHE! ES IST JA SCHLIESSLICH KEINE WELT-REISE. GEH DOCH SCHNELL WAS BESORGEN ...
DIDI! WIR BRAUCHEN NOCH REISE-PROVIANT, SONST VER-HUNGERN WIR NOCH ...
AAAH!! ICH WEISS, WAS WIR VERGESSEN HABEN!
röchel... nachluftschnapp...
WUSH!
JETZT ABER FIX!
TUT MIR LEID! ABER KÖNNEN WIR DAS NICHT AUF SPÄTER VERSCHIEBEN? ICH MUSS NOCH ZUM KIOSK...
BAM!
IHR DUMMEN MENSCHENDEP-PEN! ICH WÄRE FAST ERSTICKT, IHR MÖRDER!

HÖR MIR ZU, WENN ICH DICH HAUE!
BATZ!
DU BIST AUCH GLEICH DRAN, DIDI!
OH MANN ...
ZACK!
WIE WÄR'S, WENN ICH EUCH MAL IN EINEN KOFFER PACKE UND DANN EINFACH VERSCHWINDE?!
Munch
KLAPPE ZU, FEE MUNDTOT...!
CLAP
WENIGER SCHIMPFEN, MEHR IM KOFFER VERSTECKEN!
ARGH!
HAST DU MIR AUCH WAS ZU ESSEN MITGEBRACHT?
ACH... MANCHMAL BIN ICH FROH, KEINE FREUNDIN ZU HABEN. KANN GANZ SCHÖN NERVEN...
HEHE...
MITGEBRACHT JA... ABER AUCH SCHON AUFGEGESSEN...
WAS IST EINE FREUNDIN?

DIE FAHR-KARTEN, BITTE!
HÄ?
KLAR! JACO...?
HAHAHA! WAR NUR 'N WITZ! HIER...
UFF! WIE ÜBERAUS WITZIG!
WIESO ICH?! ICH DACHTE, DU KÜMMERST DICH UM DIE TICKETS?
WAAAS?!
HEY, JUNGS! ICH MUSS MAL PINKELN!
ENTSCHULDIGUNG! MEIN FREUND SPINNT...

?!
HM!
KLOPF KLOPF
WAS SOLL DAS GEKLOPFE?! HOLT MICH RAUS, ICH MUSS AUFS KLO!
PFT!
ÄHH... DA MUSS WOHL JEMAND AUSTRETEN... WÜRDET IHR MAL ÖFFNEN?
EIGENTLICH SEHR UNGERN. DAS KÖNNTE IHR WELTBILD ERSCHÜTTERN...
... ABER WENN SIE DARAUF BESTEHEN...
ZITTER
WIRD'S BALD?!
CLICK!

DAS IST ALLES GANZ ANDERS...! DA IST KEINE FEE IM KOF- FER...!
PATSCH!!
SO WAS GIBT'S JA GAR NICHT!
UND WER BIST JETZT DU?
...

EINE PUPPE! EINE HIGH-TECH-PUPPE AUS JAPAN!
PUPPE?
D-D-DAS IST NÄMLICH... ÄH... ALSO...
HMM...
JA, DIESE PIPI-PUPPE IST EIN GESCHENK...
NATÜRLICH IST SIE EIN GESCHENK. ICH SPIEL JA NICHT MEHR MIT SO WAS...
PIPI-PUPPE?
ÄH... JA, GENAU! ES IST EINE... ÄH... PIPI-PUPPE. MANCHMAL MUSS SIE EINFACH MAL...
VERGESSEN WIR DAS! DIE PUPPE IST EIN GESCHENK FÜR SEINE FREUNDIN!
WAS IST EINE FREUNDIN?
SOLL DAS HEISSEN, DU HAST FRÜHER MAL MIT SOLCHEN PU... UMPF!
ARGH

ÄH... EHRLICH GESAGT BIN ICH SCHLECHT IN DER SCHULE...
4-
Versetzungs Gefährdet
DABEI SIEHST DU AUS WIE EIN MUSTER-SCHÜLER...
IRGENDWAS IST HIER FAUL... IHR SEHT MIR WIE STREBER AUS, DIE IRGEND-ETWAS SELTSAMES IM SCHILDE FÜHREN...
NA JA, WIE DEM AUCH SEI... DA IHR GÜLTIGE FAHRKARTEN HABT, IST FÜR MICH ALLES IN ORDNUNG.
ICH GLAUBE ABER, BEI EUCH IST WAS NICHT IN ORDNUNG...
AUF WIEDER-SEHEN, HERR SCHAFFNER!
PFT!
OH NEIN, LIEBER NICHT...
GRMMPF!
PUH! ENDLICH RUHE...

SEHR DRINGEND!!
ES IST DRINGEND...

ARRRGH
WUSCH

DA! ICH SEHE EIN ...ÄH... KLO AM ENDE DES TUNNELS...
KEUCH...
LOS! END-SPURT!
WC
WC
WC
TAP TAP
TAP TAP
TAP TAP
TAP TAP
TAP TAP
BESETZT
BLING!

HEY! HEY!
WIR HABEN EINEN NOTFALL! BEEILUNG!
PENG
PENG
ICH WÜRD DA ABER NICHT SOFORT REINGEHEN...
HÄ?
HOHO... DA HAT'S ABER JEMAND EILIG...
HUMPF!
HUMPF!
LOS, REIN MIT DIR!
PUUUH...!
WC
RATSCH

IGITT! HIER STINKT'S ...
PUUH... END-LICH...!
FUIIIIT
UAAHRR!

HILFEEE!
WC
OH NEIN! JETZT MÜSSEN WIR DA REIN, ODER WAS?!
NICHT OHNE GASMASKE...
HEY! ES STINKT GAR NICHT MEHR!
MHM... ES RIECHT NACH BANANE...
NATÜRLICH! ICH BIN JA DIE MAGISCHE FEE DER HIMMLISCHEN DÜFTE!
SCHNÜFF
JA, WIRD'S BALD?!
IGITT... ICH FASS DOCH NICHT INS KLO...
BIST DU INS KLO GEFALLEN?
JA! HOL MICH SCHNELL RAUS!

HA! ES FINDET SICH IMMER EIN DUMMER...
BLUB! BLUB!
OH JE...! ERST ERSTICKE ICH FAST IN EINEM KOFFER, DANN HÄTTE ICH MIR FAST IN DIE HOSE GEMACHT, UND JETZT WÄRE ICH FAST IM KLO ERTRUNKEN...
KOFF! KOFF! KOFF!
... EURE GESELLSCHAFT BEKOMMT MIR NICHT SO GUT, JUNGS...
WAS IST DENN MIT DIR LOS?! SCHLIESSLICH HAST DU *MICH* DOCH GERADE AUS DEM KLO GEZOGEN...
Spotz!

 Mit freundlicher Unterstützung des deutschen Jugendschutzes!

SCHADE...! DA IST ES.
GIB SCHON HER! DU PERVERSLING!
ZACK
ALSO, SO VIEL VERDECKT DAS HÖSCHEN JA NICHT, WOZU DANN DER STRESS?!
HACH!
SO! WENN DIE DAME DANN WIEDER IM KOFFER PLATZ NEHMEN WILL...
OH NEIN...

GEEHRTE FAHRGÄSTE, IN KÜRZE ERREICHEN WIR HINTERKAFFEN.
DIESE BAHNFAHRT, DIE WAR LUSTIG! DIESE BAHNFAHRT, DIE WAR SCHÖN...
SEI BLOSS STILL! BISHER WAR NICHTS LUSTIG UND SCHON GAR NICHTS SCHÖN!
GENAU! ICH WÄRE FAST ERTRUNKEN!!

terkaffen
Landkreis
SO, WIR SIND DA! UND JETZT?
ICH WEISS AUCH NICHT RECHT...
WENN WIR DAS HAUS DIESES MANGA-ZEICHNERS FINDEN WOLLEN...
... MÜSSEN WIR WOHL DAS GANZE KAFF ABSUCHEN.
DU BIST DOCH DER MANGA-SPEZIALIST! SCHLAG WAS VOR!
HM... ICH WEISS NICHT...
ICH HAB EINE BESSERE IDEE!

DAS IST DIE PREISFRAGE ...

DENK MAL NACH! IN WELCHEM HAUS KÖNNTE EIN BERÜHMTER MANGA-ZEICHNER WOHNEN?

VIELLEICHT IN DIESEM KLEINEN HÄUSCHEN?

ODER DOCH IN DIESEM EINFAMILIENHAUS?

ODER AM ENDE IN DIESER VILLA?
JA, DAS IST SO TRAURIG, DIE ARMEN KÜNSTLER ...
ABER DIESER IST DOCH EIN BÖSER MANN...?!
HM... OB ES DIE VILLA IST?
NEIN! COMICZEICHNER SIND DOCH BETTELARM!

GUT! UND WAS JETZT?!
QUAK!
DAS MUSS DAS HAUS SEIN...
VIELLEICHT WEISS ACTIA WEITER...
Click!
IST SIE TOT?
WÜRDE ZU IHR PASSEN...!
GNARK... ÄRGS... UMUMUM... URÄKS...
UMPF!
UAAH! EIN ZOMBIE!

WIR SCHLEICHEN UNS VON HINTEN AN...

WIR BRAUCHEN EINEN SCHLACHTPLAN! DER FEIND MUSS ÜBERRUMPELT WERDEN.

DIESER STEIN IST EINE HERVORRAGENDE WAFFE!

ENDLICH GEHT'S LOS!

ROHRKOLBEN?!
HÄ?

MIT DIESEM ROHRKOLBEN IST DER SIEG UNSER!

JA, ICH KITZLE IHN BEWUSSTLOS!
Wobbel
Wobbel
Wobbel
HUAHUAHUAHUA!!

OKAY! STARK BEWAFFNET STÜRMEN WIR NUN DIE HÜTTE!
JAWOHL, LOS GEHT'S!
W-W-WIR HABEN SOLCHE A-ANGST...!
TJA...
... DANN GEH ICH WOHL ALLEINE...

WAS HAST DU GESEHEN?
WAAAS?!
TJA... NUR DIE KÖNIGIN...
HÄ?
KÖNIGIN INCA! HALTET DURCH, WIR RETTEN EUCH!

KÖNIGIN INCA!
ACTIA?! BIST DU ES?
WO IST DENN DER BÖSE COMIC-ZEICHNER GEBLIEBEN?
WAS MACHST DU DENN HIER?
BIN ICH FROH, DASS IHR WOHLAUF SEID!
ÄH... EHRLICH GESAGT BIN ICH SCHLECHT IN DER SCHULE...
4-
Versetzung Gefahr
DABEI SIEHST DU AUS WIE EIN MUSTER-SCHÜLER...
GEHÖREN DIE BEIDEN STREBER ZU DIR?
ÄH... JA. EIGENTLICH WOLLTEN WIR...
WIR DACHTEN, IHR SEID IN GEFAHR. DIESER MANGA HIER...
... DARIN STEHEN ALL UNSERE GEHEIMNISSE. DER BÖSE ZEICHNER...
Fee's

ICH IN GEFAHR?! EIN BÖSER ZEICHNER?! ABER NICHT DOCH! ICH ZEICHNE DIE MANGA SELBST. MEINE GESCHICHTEN FINDEN REISSENDEN ABSATZ!
CLAP!
WIRKLICH?! DAS IST JA WUNDERBAR!
ENDLICH WEISS ICH, WER DIE FEEN-MANGA MACHT!
WAS MACHST DU DENN FÜR EIN GESICHT?!
ACH... JETZT, DA WIR DIE KÖNIGIN NICHT RETTEN KÖNNEN, RÜCKT DIE BELOHNUNG IN WEITE FERNE!
PAH! FREU DICH LIEBER MIT DEN FEEN!
?
EINE BELOHNUNG?! ABER WARUM DENN NICHT?
AUF KEINEN FALL! DIE HÄTTEN MICH MEHRMALS FAST UMGEBRACHT!

DA IHR EXTRA HERGEKOMMEN SEID, SOLLT IHR BELOHNT WERDEN.
ECHT?!
COOL!
WOBBEL!
JUNGS, IHR HABT EINEN WUNSCH FREI. ÜBERLEGT GUT...!
EURE MAJESTÄT! SIE VERDIENEN KEINE BELOHNUNG!
ACH, SEI KEIN FROSCH!
ICH WILL DIE WELTHERRSCHAFT!!
ICH WILL 'NE DOPPELTE PORTION POMMES!!
ER KANN ALLES HABEN... ABER ER WÄHLT... POMMES...?!

!
NUN GUT, SO SEI ES...
...
PLOP
ジュース
UND FÜR DICH DER WALDMEISTER-SAFT.
HIER SIND ZWEI EURO FÜR EINE DOPPELTE PORTION POMMES.
SUPER! DANKE!
OH, DAS HAB ICH WOHL MISS-VERSTANDEN, 'TSCHULDIGUNG!
ICH WOLLTE ABER DIE WELTHERR-SCHAFT!!

ICH GLAUBE, WIR GEHEN NUN BESSER...
ARRGH! DAS IST ZUVIEL! NA WARTE, DU MOTTENKÖNIGIN...!
ICH BIN DEIN GRÖSSTER FAN! ICH LIEBE EUCH FEEN, UND DEINE MANGA...
VIELEN DANK! ES HAT MICH SEHR GEFREUT...
DU BIST ABER NETT!
TSCHÜSS, IHR GEEKS! GUTE HEIMREISE!
UND AUF NIMMER-WIEDERSEHEN!
ACTIA, GEH LIEBER NOCH MAL IN DIE BÜSCHE, BEVOR DU IN DEN KOFFER STEIGST!
KAUFT MEINE MANGA!
WALDMEISTER-SAFT... PAH! WAS SOLL ICH DAMIT?!

HUMPF!
HUMPF!

Piling
DAS WERDET IHR BÜSSEN! ICH KENNE DIE ZAHNFEE GUT.
ALLES KLAR, KLEINE FEE?
LEBT SIE NOCH?
GLICK
SNÖFF!
DA FLIEGT SIE HIN... MIT IHREM SÜSSEN PO...
SIE WIRD EUCH DIE ZÄHNE EINZELN ZIEHEN! UND NUN ADIOS!
LOS, KOMM, JACO...
BIS BALD, ACTIA! WIR WISSEN, WO DEIN BRUNNEN STEHT.

ICH VERMISSE ACTIA... WAS SIE WOHL GERADE MACHT?
ICH FREU MICH AUF MEIN BETT UND EINE NACHT OHNE MANGA, FEEN UND SCHLÄGERTYPEN...
DAS IST DOCH DAS HOCHZEITSPAAR VON HEUTE MORGEN...
WEN HABEN WIR DENN DA?! HEHEHE!
IHR HABT EUCH GAR NICHT RICHTIG VERABSCHIEDET ...
DAS GEHÖRT SICH NICHT. DAFÜR WERDET IHR BESTRAFT!
OH NEIN! WARUM MÜSSEN AUSGERECHNET JETZT DIESE BEIDEN TYPEN AUFTAUCHEN?

EUCH HABEN DIE POMMES DOCH NICHT GESCHMECKT. ICH HOLE JETZT 'NE DOPPELTE PORTION, VIELLEICHT SCHMECKT ES EUCH JA JETZT BESSER?
HEY, DIDI! ICH GLAUBE, DIE WOLLEN UNS WAS BÖSES...!
ACH WIRKLICH?!
LASS MAL! ICH HAB EHER LUST AUF 'NE DOPPELTE PORTION NIEREN-GESCHNET-ZELTES...
BÄÄH! NIEREN...
WAS HAST DU VOR?
GIB MIR SCHNELL DEN WALDMEIS-TERSAFT!
VORSICHT, HALUNKEN! WIR HABEN WALDMEISTER-SAFT!!
SNUFF...
OH! KLEBRIG, DAS IST GUT!

GENUG VON DEM GESCHWÄTZ! JETZT GIBT'S SAURES!!
IHR HABT ES SO GEWOLLT! NEHMT DAS!!
FLASH
!!
FLA

ARRGH! MEINE AUGEN KLEBEN ZU! ICH BIN BLIND!
OH NEIN! MEIN T-SHIRT IST GANZ KLEBRIG! UND WIE DAS DUF-TET...
DER WIRKT JA WUNDER, DER WALD-MEISTERSAFT.
ICH MUSS MICH UMZIEHEN, UND HAROLD ZUM AUGEN-ARZT. ABER WARTET, WIR SEHEN UNS WIEDER...
ALLES KLAR! ICH GEH MAL 'NE DOPPELTE PORTION POMMES ESSEN.
HA! ICH WERDE DIE RESTE ANA-LYSIEREN UND MIR MEINEN EIGENEN WALD-MEISTERSAFT HERSTELLEN. KEINER KANN MIR DANN JE WIEDER WAS ANHABEN UND...

GUTEN ABEND! 'NE DOPPELTE PORTION POMMES, BITTE!
DOPPELT! SEHR GUT! KOMMT SOFORT!
BITTE, WOHL BEKOMM'S!
WAS FÜR EIN SCHÖNER TAG! WIE ICH SCHON SAG-TE, ES GING ÜBERHAUPT NICHTS SCHIEF...
ENDE

Vielen lieben DANK fürs Lesen, ich hoffe ihr hattet SPAß! Gruß

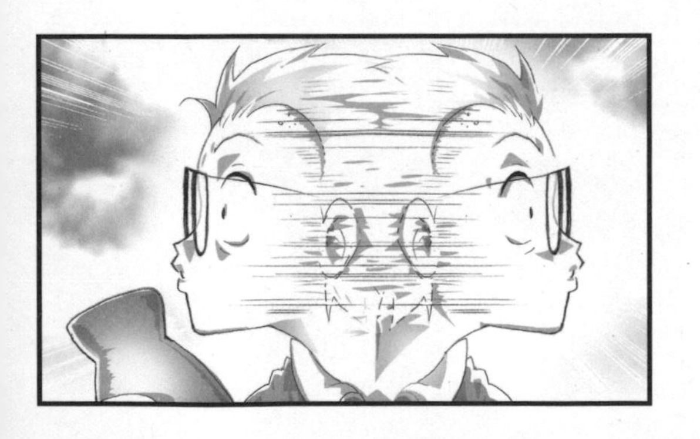

Dieser Chibi beginnt nicht auf dieser Seite. »GEEKS« ist ein Comic nach japanischem Vorbild, und in Japan wird von »hinten« nach »vorn« und von rechts nach links gelesen. Also müsst ihr auch diesen Chibi auf der anderen Seite aufschlagen und von »hinten« nach »vorne« blättern. in der Grafik nebenan könnt ihr sehen, wie ihr die Sprechblasen lesen müsst. Viel Spaß!

CARLSEN COMICS
1 2 3 4 10 09 08 07
Originalausgabe
Chibi Nr. 003

GEEKS
by Michael Rühle

Redaktion:
Jonas Blaumann
Lettering, Herstellung:
Dennis Ohrt
Druck und buchbinderische Verarbeitung:
Ebner & Spiegel, Ulm

ISBN:
978-3-551-66003-9

Printed in Germany